MIS PRIMEROS LIBROS®

¿QUIEN ES QUIEN?

por Patricia C. McKissack

ilustrado por Elizabeth M. Allen

Traductora: Lada Josefa Kratky

Consultante: Dr. Orlando Martinez-Miller

Preparado bajo la dirección de Robert Hillerich, Ph.D.

CHILDRENS PRESS®
CHICAGO

Para Robert Lewis y
John Patrick McKissack

Library of Congress Cataloging-in-Publication Data

McKissack, Patricia, 1944–
¿Quién es quién?

(Mis primeros libros)
Resumen: Aunque Beto y Juanito son gemelos, a menudo les gustan cosas opuestas. Incluye una lista de palabras.
[1. Gemelos—Ficción. 2. Lengua castellana—Sinónimos y antónimos—Ficción] I. Allen, Elizabeth, 1948– il. II. Título. III. Serie.
PZ7.M478693Wh 1983 [E] 83-7361
ISBN 0-516-32042-4

Childrens Press®, Chicago

Printed in the United States of America.
1 2 3 4 5 6 7 8 9 10 R 98 97 96 95 94 93 92 91 90 89

Beto y Juanito son gemelos.
¿Quién es quién?

Este es Beto.

Este es Juanito.

Beto se parece a Juanito,
pero Beto es Beto.

Juanito se parece a Beto,
pero Juanito es Juanito.

A Juanito le gusta lo rojo.

A Beto le gusta lo azul.

¿Quién es quién?

Este es Juanito. Este es Beto.

A Juanito le gusta lo caliente.

A Beto le gusta lo frío.

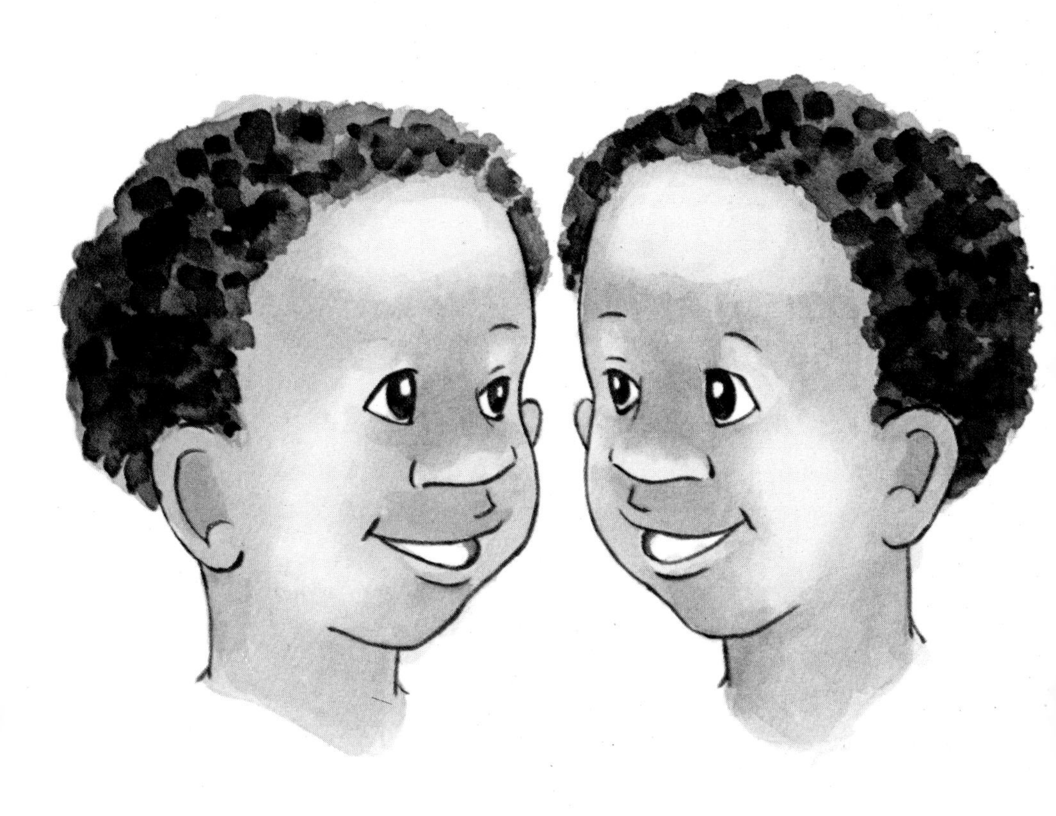

¿Quién es quién?

Este es Juanito. Este es Beto.

A Juanito le gusta sentarse delante.

A Beto le gusta sentarse detrás.

¿Quién es quién?

Este es Juanito.

Este es Beto.

A Juanito le gusta estar arriba.

A Beto le gusta estar abajo.

¿Quién es quién?

Este es Juanito. Este es Beto.

A Juanito le gusta lo grande.

A Beto le gusta lo pequeño.

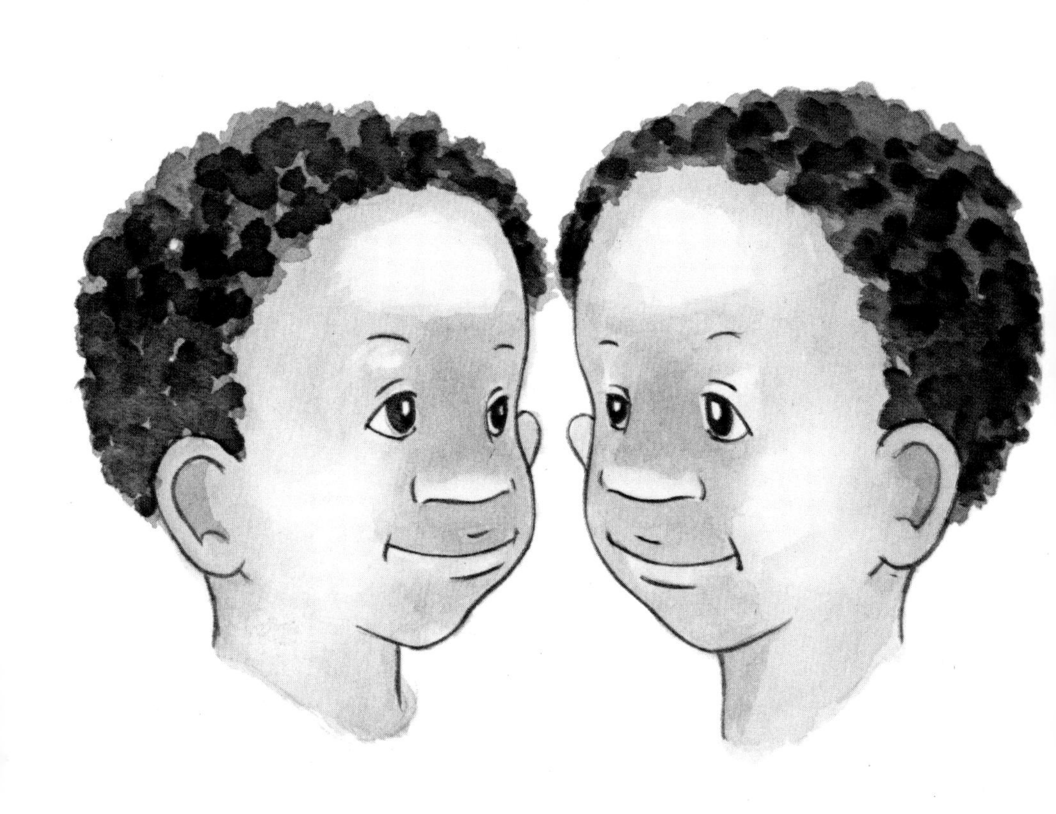

¿Quién es quién?

Este es Juanito. Este es Beto.

A Juanito le gusta estar encima.

A Beto le gusta estar debajo.

¿Quién es quién?

LISTA DE PALABRAS

a
abajo
arriba
azul
Beto
caliente
debajo
delante
detrás
encima
es
estar
éste
frío
gemelos
grande
gusta
Juanito
le
lo
parece
pequeño
pero
quién
rojo
se
sentarse
son
y

Sobre la autora

Patricia C. McKissack es presidente de All-Writing Services, una compañía que suministra servicios independientes de composición, redacción y enseñanza de composición a varios negocios, industrias e instituciones de educación. La Sra. McKissack enseña una clase de composición en la Universidad de Missouri-St. Louis y da seminarios de comunicación por todo el país. Para la emisora KWMU de St. Louis, la Sra. McKissack escribió y leyó *L Is For Listening*, un programa preescolar que se transmite por radio y que enseña destrezas de escuchar. La Sra. McKissack tiene una Maestría en Literatura Infantil y ha escrito varios libros para niños y adultos. Vive en St. Louis, donde le gusta trabajar en su jardín y cuidar de las rosas con su marido y tres hijos. Y, naturalmente, ¡tiene gemelos!

Sobre la artista

Elizabeth Allen es ilustradora independiente de libros para niños. Pasó su niñez en el Medio Oeste. Estudió arte en la Universidad de St. Olaf, en Minnesota, y en la Universidad de Wisconsin, en Madison, donde se graduó. Elizabeth vive con su marido Denby en Northbrook, Illinois. Ha puesto su obra en exhibición, ha dado clases de arte para niños y ha sido muralista. Además del arte, su mayor placer es componer e improvisar música en el piano y tocar la guitarra y el violín para sus amigos.